Dessert surprise à la cantine...

Texte : Élodie Richard
Illustrations : Olivier Deloye

Chaque lundi, Lydie, notre maîtresse,
nous distribue les menus de la cantine.

J'aime bien ce moment. Il faut dire que
je suis un vrai gourmand !

On lit ensemble tous les menus de la semaine.
On découvre parfois de nouveaux plats,
et Lydie nous les explique, comme dans un livre
de recettes.

Ça me met l'eau à la bouche…
et je ne suis pas le seul !

ABCDEFGHiJKLMNOPQRSTUVWXYZ
123456789
MENU
MENU
MENU

David se réjouit déjà du « *friand au fromage* » de ce lundi. La pâte feuilletée s'éparpille dans l'assiette mais il n'en perd jamais une miette !

Anatole sourit devant le plat de mardi : « *cuisses de poulet et coquillettes* ». Il rêverait de prendre une cuisse de poulet à pleines mains pour la manger comme les hommes préhistoriques ! Mais à la cantine, c'est interdit…

Émilie aime ce qui est sucré. Le dessert de mercredi lui donne envie : « *fromage blanc aux fruits avec petit biscuit* ». Elle se sert du biscuit comme d'une cuillère et se régale !

Sara lit le menu de jeudi avec délice : « *carottes râpées, ratatouille et pomme à croquer* ». Si, si je vous assure : elle adore les légumes et les fruits !

Moi, je ne trouve pas toujours les plats de la cantine très bons.

Par exemple, le menu de vendredi ne me donne pas très envie…
En entrée : « *betteraves rouges* »… beurk !
Et le plat principal n'a rien d'original : « *poisson, riz et carottes cuites* »…

Oh ! Oh ! Mais le dessert est bien mystérieux : « *dessert surprise* ».

Après la lecture des menus, la maîtresse nous annonce : « Les élèves de CM2 sont chargés de proposer le dessert surprise de vendredi. »

J'aimerais bien connaître cette surprise avant tout le monde !

Mardi, à la récré, j'annonce aux copains :
« Je vais mener une enquête pour découvrir le dessert surprise de vendredi. »

Ils trouvent l'idée très chouette et aussitôt Anatole me dit : « On peut espionner ma grande sœur, elle est en CM2 ! »

« Mon grand frère aussi ! » ajoute David.

Quelques instants plus tard, alors que je suis aux toilettes, j'entends des grands de CM2 entrer et parler. Je ne fais plus un bruit et je tends l'oreille…

Mon enquête commence !

Je reconnais la voix de Maxime, le grand frère de David. Il dit à son copain : « Dans mon jardin, il y a plein de framboisiers, je pourrais apporter des framboises pour le dessert de vendredi… » « Bonne idée ! », répond son ami et ils sortent des toilettes.

Doucement, j'ouvre la porte et je sors à mon tour.

Incroyable ! J'ai déjà mon premier indice. Un dessert avec des framboises…

Qu'est-ce que ça peut être ?
Sûrement une salade de fruits !

Mercredi matin, Anatole se précipite vers moi tout excité et me dit :
« Hier soir, ma sœur a demandé à ma maman combien de parts on pouvait faire dans un grand plat qui va au four.
Cette question concerne le dessert surprise de vendredi, j'en suis sûr !
Alors, je me suis tout de suite dit que cet indice ferait avancer ton enquête ! »

Oui, c'est un indice important ; il ne faut pas de plat qui va au four pour une salade de fruits.

Je suis donc sur une mauvaise piste…

Pendant la récré, je vais voir Sara et Émilie, les « spécialistes » des desserts.

Sara récapitule : « Un dessert aux fruits qui va au four, ça peut être des pommes au four… »

« … ou un gâteau roulé fourré aux fruits… » continue Émilie.

« … ou encore une tarte aux fruits ! » poursuit Sara.

La tarte aux fruits proposée par Sara me plaît bien.

Je vais chercher d'autres indices pour confirmer cette idée !

Jeudi, je passe toute la journée à chercher de nouveaux indices.

En allant à l'école, je parle l'air de rien du dessert surprise avec Jeanne, la grande sœur d'Anatole… Mais elle comprend très vite et me dit :
« C'est une surprise, Malo, on ne dévoile pas une surprise, sinon ce n'est plus une surprise ! »

À la récré, je me cache dans les toilettes
en espérant avoir la même chance que mardi
mais je perds mon temps…
Les copains se demandent ce que je fais et
même la maîtresse vient me voir, inquiète
de savoir si je vais bien !

À la cantine, je me lève de table plusieurs fois pour remplir le broc ou pour remettre du pain dans la panière. Autant d'excuses pour aller voir Nadine, la dame de la cantine et trouver des indices.

Nadine est très gentille mais elle me dit seulement : « Sois patient, Malo, le dessert surprise, c'est demain midi ! »

En sortant de l'école, je suis désespéré !

Plus qu'une journée avant le dessert surprise et je n'ai pas d'indice pour confirmer la tarte aux fruits.

Pour me changer les idées, Anatole me propose d'aller au parc avant de rentrer à la maison. Le parc est juste à côté de l'école et la plupart des élèves s'y retrouvent après la classe.

Anatole, David et moi, nous nous asseyons sur un banc pour goûter. Non loin de là, des garçons de CM2 ont déjà fini de manger et se lèvent pour faire une partie de foot.

« Regardez, les grands n'ont même pas mis leurs papiers à la poubelle ! », nous dit David. Aussitôt, je me lève pour les ramasser parce que les papiers qui traînent, ça m'énerve vraiment !

Et là, je fais LA découverte tant attendue aujourd'hui ! Enfin, un indice : un papier à moitié déchiré…

Choco-Bi

Je l'ouvre avec impatience et je m'écris :
« Les gars ! Regardez ce que j'ai trouvé !
Une liste d'ingrédients des CM2… »

Ravi de ma découverte, j'ajoute :
« Quand maman fait une tarte, je l'aide à préparer la pâte… Je connais les ingrédients par cœur : farine, beurre, sucre !
Maintenant, c'est sûr, c'est une tarte aux fruits ! »

« Tu es le meilleur enquêteur ! »
me félicite Anatole.

Vendredi matin, j'ai du mal à me concentrer sur l'exercice de mathématiques…

Je suis tellement content d'avoir découvert le dessert surprise, j'ai hâte de le manger ! Je regarde par la fenêtre, un peu distrait. Tiens ! Nadine sort un carton du camion de livraison de la cantine…

Là, j'ai un éclair de génie ! Aussitôt, j'écris dans mon cahier du jour.

À midi, à la cantine, on mange bien sagement notre entrée et notre plat. Nadine nous a prévenu : « Il n'y aura pas de dessert pour les enfants turbulents ! » Et aujourd'hui, personne ne veut rater le dessert surprise !

Le moment tant attendu arrive.
Des Ah ! et des Oh ! envahissent les tables…

Les élèves découvrent une belle part de gâteau au chocolat fondant avec deux petites framboises au-dessus, juste pour décorer !

Comme c'est beau ! Et comme c'est bon !
Tout le monde se régale.

Les copains se tournent vers moi :
« Tu n'es pas trop déçu ? »

Je réponds « Non ! » et j'ajoute, un peu mystérieusement : « Je suis content de vous avoir gardé la surprise. »

De retour en classe en début d'après-midi,
la maîtresse nous distribue les cahiers du jour.

Elle me tend mon cahier et déclare :
« Applaudissons Malo, le meilleur enquêteur ! »
Tous les élèves la regardent étonnés.

Un peu gêné, Anatole lève le doigt :
« Maîtresse, Malo s'est trompé, il avait dit
que ce serait une tarte aux fruits et on a mangé
un gâteau au chocolat ! »

Lydie se tourne alors vers moi :
« Malo, peux-tu lire ce que tu as écrit ce matin
sur ton cahier du jour, s'il te plaît ? »

Je souris, et je lis.

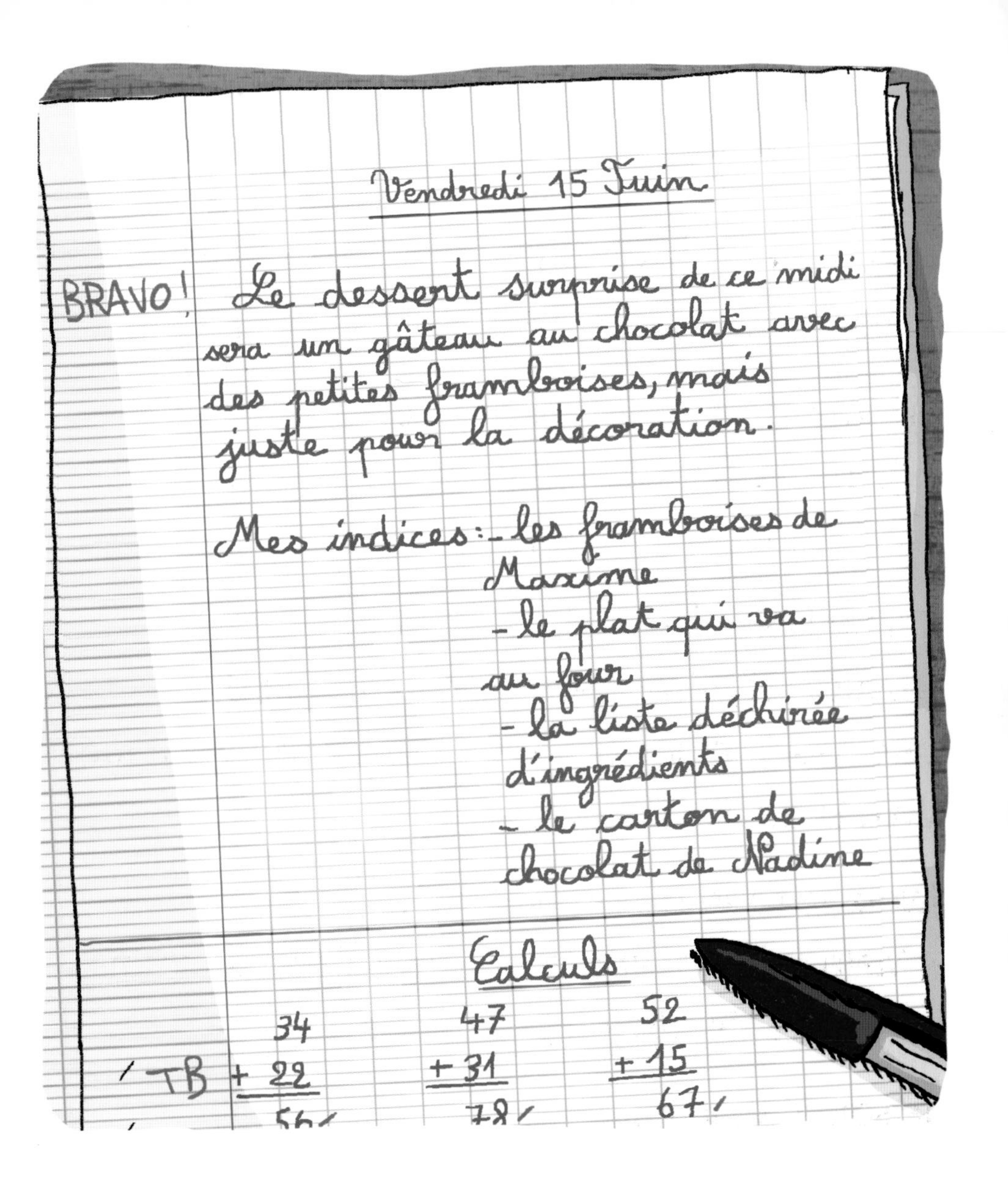

Tout le monde m'applaudit. Je suis ravi !

Le meilleur enquêteur, c'est bien moi !

As-tu compris l'histoire ?

1. Qui va apporter des framboises ?

Malo

David

Maxime

Anatole

2. Quels sont les indices trouvés par Malo ?

la liste déchirée

le carton de Nadine

des fraises

des framboises

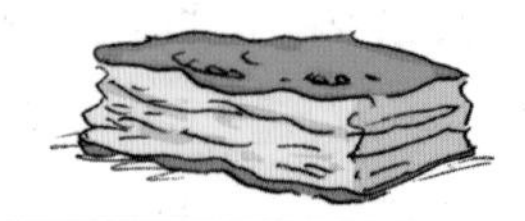
de la pâte feuilletée

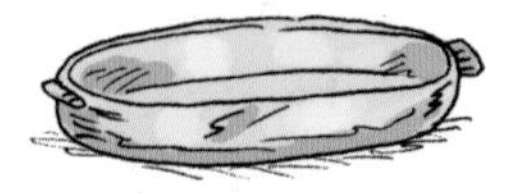
un plat qui va au four

3. Le dessert surprise est :

a. une tarte aux fruits.

b. une tarte au chocolat.

c. un gâteau au chocolat.

Reconnais-tu les sons ?

4. Lis ces mots en observant bien les lettres qui font le son ye . Puis trouve le mot intrus.

Indice : *Le mot intrus contient le même son que les autres mots mais il ne s'écrit pas de la même façon !*

feuilleté • cuillère • panière • coquillette

5. Lis ces mots en observant bien les lettres qui font le son ète . Puis trouve le mot intrus.

Indice : *Le mot intrus contient le même son que les autres mots mais il ne s'écrit pas de la même façon !*

recette • enquête • assiette • toilettes

6. Lis ces mots en observant bien les lettres qui font le son s . Puis trouve le mot intrus.

Indice : *Le mot intrus contient le même son que les autres mots mais il ne s'écrit pas de la même façon !*

spécialiste • délicieux • magicien • patient

Connais-tu le menu de la cantine ?

7. Repère les 15 mots farfelus qui se sont glissés dans le menu de la cantine.

Friand au dommage
Pœuf et haricots verts
Sorbet au mitron

Mardi 12 juin

Balade de tomates
Cuisses de boulet et coquillettes
Mêche au sirop

Mercredi 13 juin

Pamblemousse rose
Filet de dinde, petits dois
Fromage blanc aux bruits
avec petit biscuit

Calottes râpées
Ratanouille
Pomme à broquer

Vendredi 15 juin

Petteraves
Poison, riz et carottes cuites
Désert surprise

Édition : Marjorie Marlein
Couverture et conception graphique : Anne-Danielle Naname
Mise en page : Anne-Danielle Naname

N°éditeur : 10202292
ISBN MDI : 9782223112807
ISBN MDI-NATHAN : 9782223112883
Dépôt légal : 3043 – octobre 2014

Imprimé en France par l'imprimerie Pollina - L67801
Loi n°49-956 du 16 juillet 1949 sur les publications destinées à la jeunesse.